HAVRES DE PAIX

HAVRES DE PAIX

Comment faire de votre maison
et de votre jardin une oasis de calme

VINNY LEE

Adaptation française
GISÈLE PIERSON

GRÜND

Texte original : Vinny Lee
Adaptation française : Gisèle Pierson
Secrétariat d'édition : Jérémie Salinger
Révision : Fançoise Massonnaud

Édition française : 2002 par Éditions Gründ
© 2002 Éditions Gründ pour l'édition française
www.grund.fr
Édition originale : 2000 par Duncan Baird Publishers Ltd,
sous le titre *Quiet Places*
© 1998 The Reader's Digest Association, Inc.

PAO : Bernard Rousselot
Police utilisée : Transit
ISBN 2-7000-1575-4
Dépôt légal : mars 2002
Imprimé en Chine

GARANTIE DE L'ÉDITEUR
Malgré tous les soins apportés à la fabrication, il est malheureusement
possible que cet ouvrage comporte un défaut d'impression ou de
façonnage. Dans ce cas, il vous sera échangé sans frais. Veuillez à cet
effet le rapporter au libraire qui vous l'a vendu ou nous écrire à l'adresse
ci-dessous en nous précisant la nature du défaut constaté. Dans l'un ou
l'autre cas, il sera immédiatement fait droit à votre réclamation.
Éditions Gründ – 60, rue Mazarine – 75006 Paris

Que la paix soit sur cette maison et tous ceux qui y habitent.

Book of Common Prayer

Sommaire

La voie de la sérénité

La vie est bruyante, agitée, stressante. Le calme de la nature, tel un lac paisible où se reflète un ciel d'azur, paraît bien éloigné du tumulte quotidien. Confrontés à tant d'exigences horaires et de tensions, nous perdons tout contact avec la nature, comme l'écrit le poète anglais William Wordsworth : « Le monde nous presse avec excès, / Encore et encore, nous achetons, nous dépensons, nous gaspillons nos possibilités ; / Nous oublions les bienfaits de la nature. » Pour compenser ces contraintes quotidiennes et vivre en harmonie, nous devons rétablir nos liens avec le monde naturel. Et, pour retrouver la sérénité, il faut créer, à l'abri des intrusions, un havre de paix où nous pourrons nous reconstruire.

Même si cette oasis de calme n'occupe qu'un petit espace de votre intérieur ou de votre jardin, c'est en y apportant quelques touches choisies que vous en ferez un véritable refuge. Entourez-vous de couleurs, matières et parfums qui vous plaisent. Choisissez des formes faciles à vivre et des teintes qui apaisent. Exprimez vos goûts jusque dans le choix des objets décoratifs en privilégiant tout ce qui évoque le repos.

Simplicité est le maître mot, sans pour autant aller jusqu'au dépouillement. Placé sur un fond uni, par exemple, un vase de fleurs sauvages ou un miroir encadré de bois peut facilement devenir un point de départ pour déve-lopper notre imagination. Une coutume japonaise veut que les objets décoratifs soient rangés dans un coffre placé sous une niche. Ensuite, chaque objet est exposé à son tour dans la niche afin que sa seule beauté soit mise en valeur.

En composant votre havre de paix, renouez avec les couleurs, les matières et les parfums de la nature à travers le style de la décoration, les meubles et jusqu'aux détails. Les tons «forestiers», par exemple, verts riches et bruns tachetés des arbres et de la terre, rappellent l'arôme musqué du cèdre et les fragrances énergisantes du pin, et se marient parfaitement avec les textures authentiques du lin et du coton.

L'eau, pour les amoureux de la mer et du ciel, est évoquée par tous les tons de bleu, du bleu pâle argenté au turquoise chaleureux, et par les textures lisses de l'ardoise et du velours.

Les couleurs d'agrumes, orange vibrant ou jaune pâle et vert d'eau, sont rafraîchissantes et leur parfum est revigorant. Les tissus imprimés suggèrent la gaieté et la jeunesse.

Les harmonies florales emprunteront leurs roses tendres, pourpre, cramoisi et rouges aux fleurs parfumées comme les violettes, les roses, les pois de senteur et certains lis. Les textures de pétales de la soie et du satin complètent cette palette sensuelle.

Des notes exotiques épicées seront apportées par les tons chauds – or, brun fauve et orange –, et par les parfums de cannelle, clous de girofle et anis, rehaussés par les étoffes riches, tapisseries, voiles ou étamines de laine.

Tous ces thèmes introduiront chez vous la sérénité du monde naturel. Même dans le plus petit appartement citadin, vous pouvez recréer un lien avec la nature en disposant des plantes en pots ou des jardinières fleuries sur l'appui des fenêtres.

L'art du repos

Chaque pièce, chaque espace peut devenir un havre de paix,

dont l'atmosphère sereine permet de se détendre et

de retrouver son calme. Pour créer le décor, étudiez

soigneusement les couleurs et la lumière, mélangez

subtilement les matières, les tons et les formes. Embaumez

l'air de parfums évocateurs qui apaisent l'esprit et, pour

le plaisir de l'œil, composez çà et là quelques petites scènes

dans l'esprit des « natures mortes », avec une simple chaise

élégante, un beau livre ou une plante en fleur.

Les secrets des formes

Bien que la forme et la taille d'une pièce soient immuables, on peut en changer l'atmosphère, même dans un petit volume, selon l'usage que l'on fait de la couleur et des motifs. La forme est un élément important du caractère d'une pièce et tous les angles insolites, fenêtres et portes doivent être exploités.

Pour atténuer l'effet imposant causé par un haut plafond, peignez-le d'une couleur sombre, que vous pourrez reprendre sur la moitié inférieure des murs. Les lambris, vrais ou peints en trompe-l'œil, « raccourcissent » aussi un mur trop haut, en donnant une impression chaleureuse. Dans une petite pièce, préférez les tons clairs qui agrandissent l'espace. Peint en blanc, le plafond paraîtra plus haut et de larges bandes blanches dans le haut des murs, souvent utilisées par les décorateurs, ajouteront encore à l'illusion.

Couleurs et motifs affectent également notre perception des autres dimensions. Vous pouvez élargir une pièce longue et étroite en « rapprochant » le mur du fond avec une teinte forte. Le regard étant attiré par les lignes parallèles, un parquet posé en travers accentuera la largeur d'une entrée trop étroite.

L' espace dans l'espace

Il est possible de diviser le volume de la plupart des pièces en une série de petits espaces, ayant chacun son caractère. Ces « sanctuaires » seront délimités par des éléments existants, conduit de cheminée, escalier ou toit en pente, ou bien créés de toutes pièces, en installant par exemple une bibliothèque intégrée. Avec un peu d'imagination et de savoir-faire, un grand cagibi peut devenir un bureau ou un espace de jeux.

Il est rare que les quatre murs d'une pièce soient rectilignes, même dans les appartements modernes. La plupart possèdent des décrochements qui peuvent accueillir un siège ou des étagères, un joli tableau ou une plante. Une couleur de ton différent accentuera l'effet. Si les murs sont jaune tendre, par exemple, un jaune plus soutenu dans le renfoncement donnera une impression de profondeur et délimitera l'espace.

Les murs sont aussi interrompus par des portes donnant sur un autre espace. Si la porte ouvre sur un jardin ou une pièce agréable, vous pouvez faire ressortir le chambranle comme pour encadrer un joli tableau.

Intimité

Il est toujours possible, en groupant les meubles, de créer un espace intime, même dans un grand volume. Cette organisation, qui définit plusieurs « pièces » individuelles dans un cadre ouvert, convient particulièrement aux lofts et aux ateliers d'artistes sans cloisonnement conventionnel.

Un canapé peut, par exemple, être placé au centre d'une pièce afin de former visuellement une séparation. Il permet de partager la pièce en deux, en délimitant des fonctions différentes, salle à manger et salon. Une pièce trop large paraîtra moins spacieuse avec deux canapés placés face à face, tandis que des fauteuils faisant cercle autour d'une table basse créeront une atmosphère simple et conviviale.

• Choisissez les meubles pour leur confort. Les fauteuils capitonnés à haut dossier, aux bras protecteurs, enveloppent leurs occupants dans un cocon douillet. Coussins et traversins apportent un luxe supplémentaire.

• Si votre sol est carrelé ou parqueté, un tapis placé au centre de votre espace intime apportera douceur et chaleur.

Jeux de lumière

La lumière, l'un des grands bienfaits de la nature, réchauffe, nourrit et crée des motifs sans cesse différents d'ombre et de clarté. L'intensité et la direction de la lumière, blanche et vive, douce et dorée, modifient l'atmosphère d'une pièce au cours de la journée et au fil des saisons. Placez les meubles par rapport à la lumière, selon leur usage : table du petit déjeuner près d'une fenêtre exposée à l'est, et bureau ou fauteuil sous un plafond vitré, pour que le soleil de l'après-midi éclaire votre travail ou votre couture.

Parfois, la lumière naturelle est insuffisante. Choisissez alors un éclairage artificiel correspondant à vos besoins : vive clarté pour travailler, lueur douce pour vous détendre, ou ampoules colorées pour rehausser les nuances d'un thème décoratif. Les variateurs permettent une certaine flexibilité entre la lumière douce des moments intimes et celle qui éclaire votre livre. Les différents types d'éclairage artificiel agissant sur les couleurs, examinez les échantillons de peinture et de tissu à la lumière naturelle et à la lumière artificielle avant de faire votre choix.

Diriger la lumière

Dès qu'elle entre dans une pièce, la lumière naturelle est canalisée par les portes et les fenêtres. Elle tombe généralement en flaques ou en rayons qui suivent le mouvement du soleil, marquant le rythme du jour et des saisons. Vous pouvez imiter ces aspects de la lumière naturelle selon les lampes et l'habillage des fenêtres que vous aurez choisis.

La clarté du matin et de l'été est parfois éblouissante et fatigante pour les yeux. Tamisez une lumière trop vive avec un voilage léger ou un store en mousseline. La douce lumière de l'automne est agréable et apaisante, mais

elle manque d'intensité pour éclairer votre travail. Retenez les rideaux par des embrasses de chaque côté de la fenêtre pour laisser entrer le maximum de clarté.

Une lampe de bureau doit être efficace. Quand vous éteignez la vôtre, allumez une autre lampe pour reposer vos yeux et vos pensées. Un éclairage indirect crée, sur les murs et les plafonds, des flaques de lumière qui baignent toute la pièce d'une lueur douce.

• Orientez les lamelles des stores vénitiens pour diriger les rayons de lumière selon vos besoins ou votre humeur.

• Une lumière doucement teintée favorise la contemplation, et il n'est pas nécessaire d'installer des vitraux pour cela, une porte ou une fenêtre bien éclairée suffira. La lumière tamisée par un voilage ou un store bleu profond crée une atmosphère paisible, tandis qu'un tissu vermillon apporte une chaleur réconfortante.

Miroirs et reflets

Miroirs et magie sont depuis toujours associés. Le miroir, innocent ou maléfique, est souvent présent dans les contes de fées et les légendes. Un vieux miroir piqueté ouvrira sur un autre monde, silencieux et mystérieux, où tout n'est qu'illusion.

Deux miroirs, ou plus, qui se reflètent mutuellement produiront un labyrinthe d'images dans lequel vous vous verrez sous une nouvelle perspective. En utilisant habilement des miroirs, vous pouvez créer des espaces mystérieux, tout en amplifiant la lumière.

Un couloir sombre, par exemple, sera éclairé par la présence d'un grand miroir, haut de préférence, à son extrémité. Même en l'absence de lumière naturelle, il reflétera la clarté d'une lampe ou celle de la pièce voisine. Si

une pièce ne comporte qu'une petite fenêtre, vous doublerez son efficacité en plaçant un grand miroir orienté de façon à renvoyer la lumière. Sur un mur aveugle, les miroirs jouent aussi le rôle de fenêtres. Un grand miroir posé de mur à mur, sans cadre, agrandira une pièce par illusion d'optique.

• Placez un objet devant une poterie, un vase de fleurs ou un miroir, afin de mieux apprécier sa beauté sous tous les angles.

• Groupez des petits miroirs aux formes différentes, pour composer une mosaïque de reflets originale.

• Créez une échappée en trompe-l'œil dans votre jardin en encadrant de treillage ou de plantes grimpantes un haut miroir étroit.

Ombres et formes

Autour de nous, à l'intérieur et à l'extérieur, les subtils jeux d'ombre et de lumière forment un théâtre au décor en perpétuelle évolution. En exploitant les ombres et la lumière, nous pouvons créer une atmosphère de calme et de repos. Dans la nature, si le soleil est trop vif ou trop chaud pour notre confort, nous nous réfugions dans la fraîcheur tranquille d'une zone ombragée. Notre imagination s'accroche aux ombres qui se balancent dans la brise ou s'allongent en s'éloignant de la source de lumière.

Dans la maison, les espaces d'ombre et de clarté définissent des ambiances différentes : la partie éclairée d'une pièce, près de la fenêtre, sera paisible ou stimulante selon l'heure du jour ou la saison, alors que le cœur sombre de la pièce, près de l'âtre peut-être, sera plus chaleureux et plus douillet en hiver.

Vous pouvez placer un objet original ou un meuble, ou encore un paravent, de façon qu'il crée une ombre agréable, de jour comme à la lumière artificielle. Vous pouvez aussi créer vos propres jeux d'ombres avec une simple lanterne en métal perforé.

Les plantes créent à chaque instant des mouvements d'ombres silencieux. La lumière vacillante des lampes à huile ou des bougies – sur une applique murale, un bougeoir ou flottant dans une coupe – projette des ombres dansantes, mystérieuses et fascinantes. Malgré leur beauté, ne laissez jamais sans surveillance des bougies allumées.

Motifs apaisants

Pour nous réjouir et nous rasséréner, la nature a inventé une variété extraordinaire de motifs : écorce et branchages des arbres, étoiles du ciel nocturne, rides du sable à marée basse, mosaïque symétrique des ailes de papillons, dentelle élaborée de la toile d'araignée. Tous ces dessins ont inspiré, dans toutes les civilisations, une grande partie des motifs que nous rencontrons dans l'architecture et la décoration d'intérieur. En créant nos oasis personnelles, nous pouvons nous inspirer de ces motifs naturels, pour les associations qu'ils provoquent ou pour l'influence apaisante de leurs rythmes répétitifs.

Les lambris et les parquets, par exemple, composent un dessin régulier de bandes étroites, et pourtant, dans chaque planche, le grain du bois dessine des motifs différents, suivant les nœuds et les anneaux de croissance de l'arbre. Le carrelage, particulièrement la terre cuite naturelle, la faïence artisanale ou la pierre, peut aussi offrir des variantes de couleurs et de textures dans un ensemble constitué d'une répétition de formes géométriques. Tous les motifs naturels peuvent se juxtaposer sans perturber l'harmonie de la pièce.

Simples pochoirs

Si un décor apaisant se doit d'être simple, une totale absence de motifs risque d'être austère. Le pochoir est irremplaçable pour orner facilement certaines parties d'une pièce, une niche par exemple, le haut d'un mur ou le dessus d'une porte. Vous pourrez à votre gré choisir le nombre et la densité des motifs et, si vous le souhaitez, répéter le dessin sur du tissu, des meubles et même votre papier à lettres.

Pour réaliser un pochoir, choisissez un dessin au contour bien net, feuille de chêne, fleur stylisée aux vrilles enroulées, « S » horizontaux que vous pouvez relier pour former une chaîne, et même un motif ayant une signification personnelle. Le dessin doit être tracé sur un carton épais, puis découpé pour former un gabarit qui vous permettra d'appliquer la peinture. Le gabarit peut être retourné pour donner un motif symétrique.

• Variez la taille ou la couleur du motif choisi : utilisez deux ou trois tons de vert pour le même dessin de feuille, ou peignez un coquillage en grand sur un mur de la salle de bains et en petit sur une serviette.

• Appliquez la peinture sur le pochoir avec une éponge ou un pinceau à pochoir, en « tamponnant » (et non en peignant) à travers les découpes du carton, afin d'obtenir un effet plus doux, plus harmonieux.

• Utilisez des peintures et des feutres à tissu pour décorer des étoffes. Le motif devra parfois être fixé au fer chaud.

Motifs abstraits

Fixer notre esprit sur autre chose que nos soucis quotidiens est souvent une manière efficace de retrouver le calme. Les motifs peuvent être les catalyseurs de ce processus de relaxation. Un dessin familier ou qui réclame une certaine concentration détournera l'esprit des soucis et des problèmes, des faits et des chiffres, au profit d'un état de quiétude. Dans un décor uni, le motif peut être introduit sous forme d'un tableau encadré, d'une tapisserie, d'une mosaïque, ou apporté par une poterie, un tapis, un jeté de canapé ou un coussin.

Parmi ceux qui ont traversé le temps, on trouve les motifs des cultures africaines, aborigènes ou amérindiennes, aux formes géométriques, stylisées, symboles de paysages, d'animaux et d'étoiles. Les motifs traditionnels plus récents, comme ceux des quilts Amish, avec leur envoûtante symétrie, peuvent former un lien rassurant avec un passé proche.

Les mandalas, symboles de l'univers et du progrès spirituel, favorisent la méditation chez les bouddhistes et les hindouistes. En vous concentrant sur leurs motifs, vous pourrez retrouver la paix, même sans être adepte de ces religions.

Motifs sur tissu

Un tissu imprimé constitue un pôle d'attraction qui peut déterminer la façon dont nous percevons une pièce. Que le tissu soit utilisé pour recouvrir un siège, le sol, les murs ou garnir les fenêtres, il apportera sa chaleur, ses couleurs et créera une atmosphère accueillante. L'échelle du motif doit correspondre à la taille de la pièce. Si un motif floral (ou une rayure) est trop grand, il écrasera la pièce, mais s'il est trop petit, il sera insignifiant. Les ouvrages complexes, comme le patchwork ou les tapisseries, seront mieux mis en valeur dans un décor uni. Trouvez l'équilibre subtil entre l'uni et les motifs en introduisant ces derniers peu à peu et en les associant par thèmes. Carreaux et rayures, par exemple, ont un thème géométrique commun. Les motifs de feuilles se marient avec les motifs floraux si les formes de base sont analogues : sinueuses et élégantes, ou doucement arrondies. La même gamme de couleurs permet de rapprocher des motifs différents.

La texture est également un élément clé des motifs d'une étoffe, comme les « V » entrelacés d'un tissage à chevrons ou le mélange pointillé du tweed.

Harmonie des matières

La juxtaposition de textures dures et douces peut créer des ambiances différentes dans une pièce. Par exemple, en recouvrant un mur de planches de bois, vous évoquerez l'atmosphère détendue et naturelle d'une maison de campagne ou d'un chalet montagnard. Si le bois est poncé et verni, ou posé en lambris, il donnera à la pièce une atmosphère plus raffinée. Le plâtre lisse, les murs de brique naturelle ou peinte, les sols d'ardoise apportent une élégance sobre plutôt citadine. Pour certains, cette simplicité est apaisante en elle-même, alors que d'autres préfèrent l'adoucir encore par des tapis de soie somptueuse ou de laine épaisse. Ceux-ci paraîtront encore plus luxueux par contraste avec un sol uni.

Dans l'habillage des fenêtres, on peut également jouer avec les textures pour créer une ambiance de calme. Par exemple, de fins voilages posés derrière d'épais rideaux paraîtront encore plus délicats, grâce au halo de lumière se formant sur les bords des rideaux. Au contraire, accrochés devant les rideaux, ils en adouciront la masse et la couleur.

39

Murs de caractère

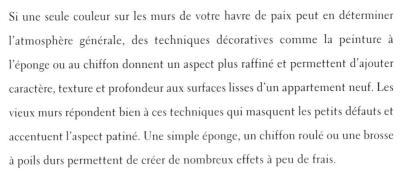

Si une seule couleur sur les murs de votre havre de paix peut en déterminer l'atmosphère générale, des techniques décoratives comme la peinture à l'éponge ou au chiffon donnent un aspect plus raffiné et permettent d'ajouter caractère, texture et profondeur aux surfaces lisses d'un appartement neuf. Les vieux murs répondent bien à ces techniques qui masquent les petits défauts et accentuent l'aspect patiné. Une simple éponge, un chiffon roulé ou une brosse à poils durs permettent de créer de nombreux effets à peu de frais.

Avec le lavis au pinceau, on obtient de douces plages de couleur fluide qui créent une ambiance de charme rustique. La peinture à l'éponge apporte un effet nuageux qui peut être doux et subtil ou contrasté, selon les couleurs choisies. En faisant rouler sur le mur un chiffon froissé trempé dans la peinture, vous obtiendrez des lignes de couleur plus longues et plus irrégulières, dont la douceur ou la dureté sera déterminée par le type du tissu.

Les surfaces peignées ou veinées avec un outil spécifique imitent la grâce naturelle du bois. Des finitions plus complexes peuvent reproduire la froide élégance du marbre et du granit.

• Vous devrez diluer la peinture pour obtenir un effet subtil, mais faites attention, une peinture trop liquide donnera des coulures.

• Essayez d'abord la technique choisie sur du papier, pour vérifier l'intensité de la couleur, l'épaisseur de la peinture et l'effet produit.

• N'appliquez pas trop fort l'éponge ou le chiffon sur le mur. Les meilleurs effets sont obtenus avec une pression aussi légère qu'un souffle.

Tissus naturels

Les tissus naturels, souples et charmants, ont un toucher bien différent des tissus synthétiques. La plupart résistent bien à l'usage ; ils peuvent même être encore plus plaisants après des années d'utilisation. Les étoffes tissées avec des fibres naturelles se drapent souplement et, même quand elles sont froissées et usées, donnent une impression de qualité.

Lin, coton et laine peuvent être tissés ou tricotés en toutes sortes de textures, grossières et rugueuses ou fines et vaporeuses, ou bien brossés pour les rendre plus chauds, ou encore glacés pour leur donner un élégant brillant. De couleur naturelle, ou teints pour s'harmoniser avec le décor, ils conservent toujours leurs qualités intrinsèques. Ces tissus nous mettent en harmonie avec la nature et donnent une impression de chaleur en hiver et de fraîcheur en été.

Les matériaux naturels n'ont pas besoin d'être transformés en étoffe pour faire apprécier leurs propriétés apaisantes. Chanvre, jute, osier, rotin apportent leur authenticité aux meubles, revêtements de sol et éléments décoratifs.

Notes luxueuses

Pour mieux vous détendre dans une ambiance sensuelle, ajoutez à votre havre de paix des objets choisis pour la richesse ou la délicatesse de leur matière. Ces touches de luxe peuvent changer selon les saisons ou votre humeur. Choisissez quelques objets que vous aimez plutôt qu'un amoncellement. N'excluez pas le côté pratique. Dans la salle de bains, des serviettes épaisses, moelleuses sont le comble du bien-être. Dans la chambre, des draps en lin frais ou en coton font oublier la canicule de l'été et, en hiver, une couverture en laine douce ou un jeté en cachemire apporte sa chaleur et son confort.

Les textures veloutées et soyeuses sont présentes dans le monde naturel : pelage des animaux, plumage des oiseaux et pétales des fleurs. Dans la maison, elles se retrouvent sur les rideaux de velours, les jetés et nappes en soie, les coussins en satin. Le brocart somptueux, les broderies éclatantes et la dentelle délicate évoquent le temps passé ou les lointains pays de vos rêves. Maniez-les en petites touches élégantes pour composer votre atmosphère personnelle de paix et de tranquillité.

Les couleurs de la nature

La palette de la nature est faite des bruns, des verts, des bleus et des gris de la terre et de la forêt, du ciel et de l'eau. La neige, les nuages et les arbres en fleurs lui ajoutent leur lumière. Cette gamme de couleurs si variée est essentiellement reposante et peut servir de lien avec la nature. Le monde naturel déploie également des coloris étonnamment vifs : arcs-en-ciel, couchers de soleil flamboyants, oiseaux exotiques, poissons des récifs de corail, fleurs sauvages ou feuillage d'automne. Puisons dans cette vaste palette pour composer nos propres associations de couleurs et créer un havre de paix.

Blanc et crème sont des couleurs fraîches et sereines qui favorisent le calme. Sur ces fonds pâles, vous pouvez ajouter des accents de couleur, plantes, tableaux, meubles, tapis, coordonnés ou contrastés.

Le bois apporte une note naturelle à tout décor, du gris blanchi du bois flotté au noir profond de l'ébène, en passant par l'or du pin, le rouge sombre du cerisier, le brun fastueux du chêne. Les meubles en osier et les revêtements de sol en fibres végétales offrent toute la gamme des bruns naturels.

Couleurs de la terre

Les couleurs de terre, celles des sols et des rochers, donnent une impression de solidité et d'endurance. La palette est moins vive, mais très subtile, avec les blancs frais, les gris bleutés et les roses du marbre, de l'ardoise et du granit, les tons jaunes des sables du désert, le rouille chaud et le brun rouge des rocs monumentaux.

Sous les climats chauds, les pigments ocres et terre cuite se retrouvent en badigeons sur les murs extérieurs et intérieurs, un décor souvent repris dans les pays plus froids pour évoquer la chaleur et la vitalité du soleil. Les couleurs de terre ont un aspect sûr, indestructible, comme l'écrit le poète Robert Browning dans son poème *Parmi les rocs* : « Oh, gigantesque sourire de la vieille terre brune… Ainsi va la vie, notre vieille terre sourit et sait. »

- Faites entrer dans la cuisine ou la salle à manger les rassurantes couleurs de terre en utilisant des plats en terre cuite vernissée.
- Des sets de table en ardoise apporteront une élégante note naturelle.

Couleurs du ciel et de l'eau

Les tons bleutés, jusqu'au turquoise et au gris clair, sont reposants et favorisent la concentration. Souvent liées à la méditation, ces teintes fluides évoquent les vagues de la mer et le ciel changeant, ainsi que la purification du corps et de l'esprit. Dans les thérapies basées sur la couleur, la contemplation du bleu peut abaisser la pression sanguine et soulager les insomnies. Dans une chambre d'enfant, le bleu associe sa fraîcheur à ses qualités apaisantes pour créer une atmosphère de paix. Le bleu est parfois ressenti comme une couleur froide, et pourtant il suffit de penser au ciel d'azur d'un bel été ou aux eaux tropicales chaudes et accueillantes. Les bleus pâles sont doux et gracieux, mais les bleus foncés seront employés avec parcimonie, pour un coussin ou des rideaux, par exemple.

• Ces fleurs ajouteront une note naturelle de bleu, clair ou foncé : les myosotis, les centaurées, les campanules ou les delphiniums.

• Accrochez des paysages ou des marines sur vos murs pour faire entrer les bleus du ciel et de l'océan dans les parties sans fenêtres.

Couleurs de la forêt et du jardin

Beaucoup d'entre nous associent un havre de paix à la berge moussue d'une rivière, un jardin paisible empli de fleurs, ou une prairie d'herbes folles se balançant dans la brise. Ces rêves éveillés traduisent une fascination commune pour la vie végétale et sa couleur essentielle, le vert, couleur de l'harmonie et de la régénération. Les divers tons de vert reflètent les changements de saison, de la fraîcheur vibrante des pousses printanières au vert sombre et brillant des feuillages persistants de l'hiver.

Il existe une multitude de nuances de vert : vert acide du citron vert, mousse argentée, pomme croquante, olive subtile ou vert bleuté du sapin, chacun avec son image et son parfum spécifiques. Sur de grandes surfaces, les teintes pâles ont une froide élégance, les tons plus foncés, souvent associés à des lambris, évoquant l'atmosphère douillette d'un club privé ou le calme méditatif d'une bibliothèque. Les verts très vifs, un peu trop stimulants, seront réservés à un seul mur ou à l'encadrement d'une fenêtre. Le vert peut aussi être introduit par petites touches, tableaux, coussins ou plantes d'intérieur.

Le vert à l'intérieur

Les plantes d'intérieur apportent couleur et vie. La contemplation des changements subtils de couleur à mesure que la plante se développe satisfait l'esprit. Les plantes saisonnières, comme les bulbes printaniers (jacinthes, narcisses ou tulipes) peuvent être « forcées » pour fleurir précocement, en annonçant les couleurs et les parfums de la saison nouvelle. Pour une simple touche de vert, choisissez une seule plante au très beau feuillage. Pour un patchwork harmonieux de différents verts, réalisez une composition, mariant silhouettes et nuances variées, sur une table ou sur votre bureau.

Bien que la climatisation rende l'air trop sec pour beaucoup de plantes, il est facile de créer un petit nid de verdure ou un écran feuillu sur ou près de votre bureau. Les cactées et autres plantes grasses aiment la sécheresse, leurs formes sont fascinantes et leurs fleurs ont des couleurs éclatantes. Groupez-les dans une coupe, sur une couche de graviers retenant l'humidité. Ne les arrosez pas trop souvent, ce sont des plantes du désert qui ne souffriront pas de vos absences.

Verdure et couleur

Pour augmenter l'effet relaxant des plantes d'intérieur, essayer de lier l'ambiance colorée de la pièce avec le vert. Les jaunes et les bleus constituent un fond harmonieux, ces deux couleurs mélangées donnant les nombreux tons de vert, chacun ayant son propre effet : bleus verts calmants, jaunes verts plus rafraîchissants. Les jaunes chauds évoquent le soleil et l'optimisme. Le blanc et le crème composent avec le vert des plantes un cadre serein. Évitez les couleurs opposées, comme le rouge ou l'orange soutenu, qui risquent d'être déstabilisantes.

Certaines plantes d'intérieur ont une affinité particulière pour telle couleur ou telle pièce. Par exemple, les plantes denses à larges feuilles disparaîtront dans une pièce sombre. Utilisez ce fond sombre, au contraire, pour mettre en valeur les espèces au feuillage clair délicatement découpé comme les fougères. Beaucoup de plantes apprécient l'humidité de la salle de bains, comme les fougères, les plantes à feuilles luisantes et certaines orchidées, auxquelles vous pouvez ajouter quelques fraîches marguerites.

Touches de couleur

Si la sérénité du décor repose sur la palette de base de la nature, vous devez cependant, pour égayer une pièce, lui apporter des touches de couleurs vives rappelant les teintes éclatantes des fleurs et des oiseaux qui animent le monde naturel.

Un bouquet de fleurs ou une coupe de bulbes printaniers ajouteront de l'éclat et de la vie au décor. Des coussins colorés sur un canapé, un tapis, un tableau ou une sculpture contre un mur uni peuvent être changés de temps à autre, peut-être pour refléter la succession des saisons. Du verre coloré inséré dans une fenêtre ou une porte, vitre entière ou simple bordure, s'animera sous les rayons du soleil en projetant sur le sol, le mur ou toute autre surface, une mosaïque colorée, vibrante et fantasque.

- Posez des prismes en cristal sur un rebord de fenêtre ensoleillé pour créer des arcs-en-ciel sur les murs.
- Installez une étagère en verre devant une fenêtre pour exposer des bouteilles colorées qui brilleront sous le soleil.

Ambiance et couleurs

Les couleurs, nuances douces de la nature ou teintes vives modernes, agissent sur l'humeur et l'ambiance. Les tons frais et clairs sont généralement réparateurs et apaisants, alors que les couleurs sombres enveloppent, réconfortent et protègent. La réponse aux couleurs peut cependant être très personnelle. Certains trouvent le bleu calme et reposant, d'autres le considèrent comme trop froid. L'orange est chaud et trop stimulant pour l'un, et pour l'autre générateur d'une chaleur agréable. L'essentiel est de trouver une teinte qui vous apaise, et de l'utiliser comme base ou comme thème, en ajoutant quelques touches de couleur sur ce fond sobre.

Les couleurs sombres ou feutrées peuvent créer une ambiance contemplative de calme ou de tranquille élégance. Par exemple, dans un bureau traditionnel, aux murs couverts de livres reliés, on puisera dans les verts, rouges ou bleus foncés qui se marient bien avec l'éclairage artificiel. Le bordeaux profond des housses de sièges, des bougies ou des serviettes donnera une ambiance de quiétude et de luxe à une salle à manger.

• Aux contrastes violents, préférez des nuances complémentaires. Par exemple, des sièges recouverts de tissu bordeaux feront paraître nus et froids des murs blancs, mais si le blanc est réchauffé par du crème ou une pointe de rose, il se mariera bien avec le riche coloris du tissu.

Les parfums

Les senteurs évoquent souvent des moments et des lieux particuliers, et ces souvenirs sont généralement agréables et paisibles. Le parfum de la vanille rassure et réconforte. La douce fragrance de la rose est également apaisante, bien que certains la trouvent sensuelle et érotique. La lavande et le jasmin sont à la fois relaxants et revigorants.

Dans le langage des parfumeurs, les senteurs se classent en six groupes principaux – floral, boisé, épicé, résineux, agrumes, herbacé – qui peuvent être associés dans certaines proportions pour créer un mélange harmonieux. Quand vous faites entrer des parfums dans la maison, par l'intermédiaire de pots-pourris, de vaporisateurs, de fleurs fraîches ou séchées, analysez le type et la proportion des différentes senteurs et essayez de visualiser leurs couleurs ; si la palette ainsi créée est harmonieuse, elles se marieront agréablement. Si vous faites un pot-pourri pour une chambre, par exemple, essayez de mêler la senteur subtile des pétales de rose avec la fragrance plus prononcée de la lavande, un mélange équilibré aidant à évacuer le stress de la journée.

Le parfum dans la maison

Il existe de nombreuses façons de transformer par des effluves odorants l'atmosphère de la maison ou du bureau. Bougies parfumées et vaporisateurs y apporteront la fraîcheur des agrumes, les senteurs vivifiantes du bord de mer ou la présence des fleurs. L'aromathérapie qui permet, grâce aux huiles essentielles extraites des plantes, de soulager divers troubles ou de relaxer et revitaliser, a donné naissance à de nombreux produits. On peut ajouter à l'eau du bain quelques gouttes d'une huile essentielle ou la diluer dans une huile neutre (amande ou pépins de raisin) pour un massage corporel. Dans la maison, les huiles essentielles chauffées dans un brûle-parfum créeront une atmosphère romantique, revigorante ou calmante, selon l'huile utilisée.

Rien ne remplace, cependant, les plantes fraîches ou séchées qui charment tous les sens. Des bouquets d'herbes dans la cuisine,

une brassée de lavande dans la chambre, un vase de roses anciennes délicieusement capiteuses dans le salon, offrent à la fois leur parfum, leurs couleurs, leurs formes et leurs textures.

Pièces reposantes

Votre havre de paix doit appartenir à votre décor quotidien, prêt à tout moment à restaurer votre paix intérieure. Chez vous, n'importe quelle pièce peut être décorée et meublée de façon à favoriser le repos et le calme. Votre lieu de travail peut également devenir, du moins en partie, une oasis personnelle. Éviter le désordre est primordial, de même que maintenir une température confortable. Quelle que soit la pièce, vous renforcerez l'atmosphère de calme en choisissant soigneusement tissus, formes et couleurs, en travaillant l'éclairage et en parfumant l'air selon votre humeur.

Le cœur de la maison

♥

Au cœur de la maison, la salle de séjour est le rendez-vous de nombreuses activités. Cependant, un thème de couleur harmonieux, des meubles confortables et un éclairage en feront aussi un havre paisible où vous pourrez vous détendre en famille, écouter de la musique, vous livrer à votre passe-temps favori ou vous retirer du monde avec un bon livre.

Traditionnellement, l'élément principal du séjour est la cheminée, symbole de chaleur et de quiétude. Si vous avez la chance d'en posséder une, les flammes dansantes animeront la pièce en hiver, alors qu'en été, l'âtre accueillera une plante ou un grand bouquet de fleurs fraîches ou séchées qui apporteront leurs couleurs et leurs silhouettes.

Si vous n'avez pas de cheminée, essayez de créer un autre pôle d'attraction : une étagère, un petit coffre ou une table qui vous permettront d'exposer vos bibelots favoris, des photographies, des fleurs, un chandelier ou une pendule. La flamme dansante des bougies et le tic-tac de l'horloge sont aussi rassurants que le crépitement du feu dans la cheminée.

Repos et sérénité

Des sièges confortables sont indispensables à la relaxation, et la couleur, les motifs et la texture des accessoires peuvent subtilement composer l'atmosphère d'une salle de séjour. Relativement peu onéreux et faciles à changer, les accessoires apportent une aimable touche personnelle. Les coussins, par exemple, existent en de multiples formes et tailles, du petit traversin de cou oriental au moderne triangle et au traditionnel carré. Choisissez leurs formes en harmonie avec le décor, de façon à en rappeler un élément, comme une fenêtre ronde ou des vitres en losange, ou alors, mélangez formes et couleurs pour animer un canapé uni. Faites preuve d'imagination dans le choix des tissus. Associez une étoffe lisse et une en relief de chaque côté du même coussin afin de pouvoir changer rapidement et facilement le décor. Les passementeries existent aussi dans une large gamme de matériaux coordonnés ou contrastant avec le tissu du coussin.

Les jetés, châles ou plaids en coton léger ou en tweed de laine plus épais, apportent leur douceur aux lignes géométriques des canapés ou des fauteuils et créent un nouveau pôle d'attraction dans le thème décoratif.

• Transformez vos vieux coussins avec des passementeries nouvelles et originales. Choisissez un galon uni, une ganse assortie ou contrastée, ou une fermeture élaborée faite avec un ruban ou une cordelière.

• Un jeté de canapé réversible changera l'ambiance de la pièce : associez, d'un côté un tissu tout simple, et une étoffe luxueuse de l'autre.

Le style du séjour

Dans les pièces à vivre les plus harmonieuses se marient des formes douces, arrondies, à d'autres plus précises, géométriques. Les angles aigus et les lignes droites peuvent paraître « couper » agressivement l'espace qui les entoure, et ne pas inviter au repos. Et pourtant, leur aspect net, graphique semble avoir un effet apaisant si l'usage en est modéré.

Le secret, pour réaliser un décor satisfaisant et serein, réside dans l'équilibre entre les formes des éléments constitutifs d'une pièce et celles du mobilier. Les meubles doivent être en harmonie avec les principales structures architecturales. Si vous placez un fauteuil à dossier et bras arrondis devant une haute et étroite fenêtre, vous diminuerez la dureté des lignes parallèles. Pour mettre en valeur, au contraire, l'élégance austère de la fenêtre, placez à côté une chaise de salle à manger fine et linéaire, qui en rappellera les lignes et renforcera l'effet visuel.

- Adoucissez les lignes dures d'une table avec les plis moelleux d'une nappe. Si vous ne voulez pas recouvrir

toute la table, posez un chemin étroit au centre et laissez-le retomber de chaque côté.

• Si vous avez trop de fauteuils arrondis, ajoutez-leur des coussins carrés qui apporteront une note angulaire. Des cousins souples garnis de duvet allégeront la masse d'un canapé trop profond.

• Les lignes parallèles formées par des étagères seront moins sévères si des plantes en pot retombantes les recouvrent en partie.

Lieux de travail

L'environnement le plus propice à votre travail dépend de vous, bien que seules les personnes qui travaillent chez elles puissent exprimer pleinement leurs préférences. Un bureau bien organisé peut se satisfaire d'un espace relativement restreint dans la maison, voire d'un cagibi, ou du volume inutilisé se trouvant sous l'escalier. Quelques conseils vous aideront à créer chez vous un bureau compact, agréable et fonctionnel, favorisant la concentration et réduisant au minimum les pertes de temps.

- Un bon éclairage est essentiel. Si vous bénéficiez de la lumière du jour, placez votre bureau afin d'en profiter au mieux. Complétez-la par une lampe ponctuelle orientable dirigée sur votre travail.
- Utilisez l'espace de façon créative. Si vous avez parfois besoin d'une surface importante, ayez en réserve deux tréteaux et une grande planche qui peuvent être assemblés à la demande, puis démontés.
- Le sol doit être dégagé et vos livres de référence à portée de main.

Une oasis de calme

Beaucoup de gens travaillent dans des conditions difficiles, à l'opposé d'une atmosphère de sérénité, et pourtant un plan bien étudié et quelques petits objets personnels pourront transformer un bureau en un lieu harmonieux.

Pour rendre la journée de travail moins stressante, votre bureau doit être à bonne hauteur et votre siège réglé correctement, de façon à bien soutenir vos reins (apportez un coussin souple, si nécessaire). Faites des pauses régulières, marchez, bougez, étirez-vous et reposez vos yeux en regardant au loin.

Éclairez-vous le plus possible à la lumière naturelle et restez en phase avec le monde extérieur, en regardant par la fenêtre ou en ayant des fleurs de saison, des fruits ou un pot-pourri sur votre bureau.

• Pour rendre votre espace de travail plus chaleureux, plus reposant, ajoutez-lui quelques touches personnelles, comme une bouture d'une plante de votre salon, des photographies d'amis ou de parents, des objets de collection, des bonbons ou des souvenirs.

• Changez régulièrement ces objets, en suivant le rythme des saisons ou au fil des anniversaires, pour continuer à les voir et à les apprécier. Échappez à la tentation de surcharger votre bureau d'innombrables bibelots, la qualité prime sur la quantité !

Cuisine paisible

À l'heure des repas, la cuisine est généralement une vraie ruche, mais à d'autres moments de la journée, elle peut devenir un refuge, empli des arômes réconfortants du café chaud ou du gâteau qui cuit dans le four. Le décor est un moyen de créer une atmosphère de sérénité : même si la cuisine doit avant tout être facile à nettoyer et bien éclairée, rien n'empêche ses éléments fonctionnels d'être harmonieux. Une couleur douce sur les murs, jaune primevère ou indigo pâle, sera fraîche et joyeuse le matin ou dans la journée, et chaude et accueillante le soir sous la lumière artificielle. Des stores ou des rideaux imprimés et un vase de fleurs ajouteront quelques notes plus vives. Vous pouvez améliorer le confort des chaises avec des coussins matelassés.

Pour que la cuisine reste sereine, soyez organisée, le désordre mettant toujours mal à l'aise. Un seul plan de travail bien dégagé donne une impression d'espace, et le spectacle d'une cuisine impeccable où vous pouvez vous détendre, alors qu'il y a peu elle croulait sous la vaisselle sale, est toujours la source d'une grande satisfaction.

Une nouvelle journée

Commencer la journée de façon détendue est trop important pour être réservé aux vacances et aux week-ends. Le calme et l'ordre permettent à l'esprit et au corps de sortir du sommeil et de s'adapter doucement aux exigences de la matinée qui commence. Les précieux moments passés à savourer votre café devant un petit déjeuner confortable, à regarder le soleil inonder le jardin et à parcourir tranquillement le journal, influenceront de façon significative votre humeur et le déroulement de la journée qui se présente.

La plupart des gens préparent et dégustent leur petit déjeuner dans la cuisine, une pièce qui joue donc un rôle important pour commencer harmonieusement la journée. Elle doit donner une impression d'espace, qui

peut être apportée par son agencement, comportant de nombreux éléments de rangement pour éviter le désordre. Dans cette pièce agréable et fonctionnelle, un disque de musique classique, de chants d'oiseaux ou de vagues déferlant sur la plage ajoutera encore à l'ambiance relaxante.

Plaisirs de la table

La plupart des gens ont pris l'habitude de manger « sur le pouce », en attrapant un en-cas dans le réfrigérateur, pour se précipiter ensuite vers leur prochaine occupation, travail, loisirs ou activité sportive. Le plaisir de s'asseoir autour d'une table pour déguster un bon repas tend à disparaître. La salle à manger se fait rare, les repas étant pris dans la cuisine ou le séjour, où il est absolument nécessaire de créer une ambiance détendue.

Traditionnellement, le décor des salles à manger comportait du rouge. Chauds et accueillants, les rouges bordeaux sont élégants, les tons orangés plus chaleureux. Une nappe unie ou ornée simplement, et des assiettes, blanches ou crème, sans décor sont le plus appropriées à l'appréciation de la nourriture ; la vaisselle très décorée est jolie mais fatigante pour les yeux.

La lumière naturelle est source de paix. L'éclairage artificiel ne doit pas éblouir les convives, tout en leur permettant d'apprécier le contenu de leur assiette. Les bougies créent une ambiance intime pleine de charme, à condition d'éclairer suffisamment pour adoucir l'atmosphère sans l'assombrir.

Créer l'ambiance

Dresser la table, c'est composer un décor de théâtre, aussi important que la pièce elle-même. Dans certains pays d'Asie, la tradition veut que chaque place, au lieu d'accueillir des assiettes identiques, reflète les intérêts de la personne qui s'y assied. On disposera, par exemple, une assiette verte et une serviette fleurie nouée d'un brin de raphia devant un convive féru de jardinage, et une serviette noire sur une assiette blanche pour un photographe. Le décor de la table peut faire écho au thème du menu, assiettes en terre cuite pour les mets italiens, serviettes à carreaux pour un repas style bistro ou petits bols et baguettes pour un festin chinois. Un grand saladier moderne et coloré conviendra à l'ambiance détendue d'un déjeuner familial, tandis qu'une soupière ancienne ou des verres en cristal donneront le ton d'un repas plus cérémonieux.

Les fleurs ne seront pas forcément dans un vase. Pour un dîner romantique, éparpillez des pétales de rose sur la nappe ; pour un déjeuner d'été, nouez les serviettes avec un brin de ciboulette.

Les portes de la nuit

La chambre devrait être la pièce la plus paisible de la maison. C'est là que nous avons besoin de nous détendre, physiquement et mentalement, pour trouver le sommeil. Un lit confortable, un éclairage subtil et des couleurs calmes contribueront à créer une atmosphère de sérénité. Mais c'est là aussi que commence la journée, et ce même environnement doit fournir le stimulus nécessaire pour se lever. Évitez le désordre et marquez les saisons avec de simples variantes : en été, jouez sur le thème blanc et bleu, frais et serein ; en hiver, ajoutez un jeté aux tons orangés chaleureux, ou une descente de lit douce aux pieds. Si les murs sombres évoquent le luxe, ils peuvent être étouffants quand il fait chaud.

La chambre est sans doute la pièce la plus personnelle de la maison. Les petits enfants s'y sentent en sécurité pour s'endormir avec leurs jouets familiers. Les adolescents peuvent y exprimer leur indépendance. Et si une chambre dépouillée est la meilleure «pièce à rêver» pour certains adultes, d'autres préfèrent y être entourés de leurs objets aimés.

Se faire plaisir

Le parfum apporte une note luxueuse, en créant une ambiance sensuelle de détente et de confort. Certains arômes, évocateurs, apaisants ou même soporifiques ont une influence positive sur votre état d'esprit. Ainsi, le houblon est-il un calmant, la lavande et la rose favorisent les pensées paisibles. Glissez sous votre oreiller, attachez à la tête de votre lit ou posez sur une table ou une cheminée, un sachet en lin ou en mousseline garni de cônes de houblon séchés, de lavande ou de pétales de rose. Vous pouvez aussi rassembler des brins de lavande en les nouant d'un ruban ou en les piquant dans de la mousse de fleuriste pour en faire un bouquet parfumé, ravissant et de longue durée.

Profitez au maximum des produits aromatiques en prenant un bain chaud juste avant de vous coucher. Préparez-vous de doux rêves en ajoutant à l'eau quelques gouttes d'essence de vanille ou d'amande.

• Parfumez d'arômes d'épices et d'agrumes exotiques votre armoire ou votre coiffeuse, avec une pomme d'ambre décorative : piquez l'écorce

d'une orange ou d'un citron de clous de girofle, de façon à recouvrir entièrement le fruit, et suspendez-le à l'aide d'un ruban.

• Rehaussez un pot-pourri épicé avec des noix de muscade et des bâtons de cannelle, jolis et parfumés, en liant éventuellement ces derniers en « fagots » avec un ruban de soie.

Le plaisir de s'habiller

S'habiller peut devenir un plaisir si, au lieu de courir contre la montre en cherchant des vêtements absents, vous prenez le temps de préparer tranquillement vos tenues, dans un espace bien éclairé et bien rangé. Dans un monde parfait, nous aurions toutes un «dressing» aux amples capacités de rangement, mais cela est rarement le cas. Pour créer cet espace dans votre chambre, il suffit d'une chaise ou d'une commode sur laquelle disposer les habits, et d'un miroir, en pied de préférence et installé près d'une source de lumière naturelle, pour vérifier votre aspect avant de quitter la pièce. S'il est bien placé, le miroir peut aussi amplifier la lumière. Un paravent léger, offrant une surface supplémentaire où draper foulards et écharpes, peut aussi servir de cloison pour délimiter votre «dressing».

L'habillage de la fenêtre devra préserver votre intimité tout en laissant passer la lumière. Un voilage blanc ou un store en mousseline rempliront ces fonctions. En posant du verre dépoli dans la partie inférieure de la fenêtre, vous obtiendrez un effet similaire permanent.

Intimité du bain

La salle de bains devrait être un havre intime où profiter de votre solitude pendant quelques moments précieux après votre réveil et avant de vous habiller, ou pour un long bain parfumé d'huiles aromatiques, à la fin d'une journée épuisante. Dans l'idéal, l'agencement de la salle de bains devrait répondre à ces différents besoins. L'éclairage sera étudié pour être à la fois pratique et assez subtil pour permettre la détente. Certains matériaux ont une affinité naturelle avec les salles d'eau, liège et bois (imperméabilisés) pour les murs ou les sols, coton éponge pour les serviettes, les rideaux et les tapis de bain. Des couleurs douces et un espace dégagé vous permettront d'ajouter quelques touches personnelles.

Les coquillages, qui évoquent l'eau de mer et l'air iodé, constituent de jolis ornements. Suspendez-les après les avoir enfilés sur une ficelle, ou disposez-les sur un appui de fenêtre, avec des morceaux de bois flotté, des éponges ou du corail. Des flacons de produits parfumés pour le bain évoqueront, eux aussi, le plaisir et la sérénité.

La forme et les sens

Les formes sont importantes dans une salle de bains, pièce où le corps est le plus vulnérable, et vous devriez pouvoir vous déplacer librement sans vous cogner à des angles aigus ou des surfaces froides, dures ou rugueuses. Bien que la salle de bains soit souvent la plus petite pièce de la maison, vous pouvez optimiser le volume disponible en misant sur la simplicité et en séparant les espaces « utiles » et de détente. Un paravent léger sera parfait pour créer des zones de paix et d'intimité. Vous pourrez le replier et le placer contre un mur quand il n'est pas en service, ou l'installer de différentes façons dans la pièce, pour en changer la forme et l'espace.

Un lavabo à colonne apporte parfois une note discordante. Une solution pratique consiste à l'encastrer dans des lambris ou, s'il y a la place, dans un meuble qui donnera un aspect net à la pièce et offrira un volume de rangement bienvenu. Les lambris ménagent une étagère étroite qui peut accueillir savons, flacons et brosses, ou coquillages et éponges naturelles. Toutefois, un lavabo à colonne est souvent élégant et laisse disponible l'espace au sol.

Les secrets de la douche

Prendre une douche est à la fois stimulant et relaxant. L'eau qui coule sur votre corps accomplit beaucoup plus qu'un simple nettoyage, elle apporte à votre esprit quelques minutes de paix. À la fin d'une journée fatigante, tous vos problèmes disparaîtront sous l'eau de la douche. Parfumez-vous avec un savon ou un gel que vous ferez bien mousser avec une éponge douce. Pour plus de raffinement, allumez des bougies parfumées dont les effluves flotteront dans l'air humide et chaud de la pièce.

Les surfaces dures et fonctionnelles de la salle de douche seront adoucies par des demi-teintes, des bords arrondis et des serviettes bien enveloppantes. Un motif au pochoir sur un carreau du carrelage peut constituer un pôle d'attraction visuel quand vous serez sous la douche. Un tapis de bain en coton ou une plaque de liège accueilleront vos pieds nus. Des serviettes-éponges épaisses et moelleuses ou légères en nids d'abeille, en lin ou en coton, sont décoratives et merveilleuses pour absorber l'humidité. De nombreuses plantes prospèrent dans l'atmosphère humide et leurs formes naturelles distrairont le regard des lignes dures de la cabine de douche.

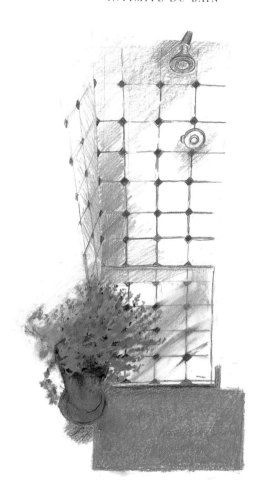

Le jardin des délices

Que vous cherchiez refuge dans un carré de verdure au milieu de la jungle citadine ou sous une tonnelle fleurie à la campagne, le contact avec les plantes et le plein air est profondément apaisant. L'effet de calmant spirituel du jardin est évoqué dans ces lignes de la poétesse anglaise Dorothy Gurney : «Le baiser du soleil pour pardonner, / Le chant de l'oiseau pour rire, / Dans le jardin plus qu'ailleurs / Nous nous rapprochons de Dieu.» L'intensité de la lumière, des couleurs et du feuillage change au fil des saisons, en créant des ambiances différentes de paix, de renouveau, de repos ou de méditation.

Porches et vérandas

Admirer la vue d'une fenêtre est agréable et reposant, mais pour apprécier pleinement le spectacle, les bruits et les parfums de la nature, nous devons nous aventurer à l'extérieur. Un porche, une galerie ou une véranda, espace intermédiaire entre la maison et le jardin, nous rapproche de la nature tout en nous abritant des éléments. De là, nous pouvons observer confortablement le rythme des saisons, éclatement des bourgeons après les giboulées du printemps, luxuriance somnolente de l'été, tapisserie glorieuse des feuilles rouges et or de l'automne, scintillement du givre sous le soleil d'hiver. Sous la protection de la maison, c'est le lieu parfait pour laisser dormir un bébé ou faire prendre l'air aux convalescents ou aux plus âgés. En été, on peut y lire et se détendre, voire en faire une chambre d'amis.

On éprouve directement, sous un porche ou une galerie, la douceur de la lumière et de l'ombre naturelles, qui en font un havre de paix propice à la contemplation. Au crépuscule, allumez une lampe colorée ou « empruntez » sa lumière à la pièce attenante.

Détente au dehors

En entrant dans un jardin, vous pénétrez dans un lieu qui est à la fois un espace privé et une partie de la nature tout entière. Sans plafond au-dessus de votre tête, vous êtes en phase avec l'immensité du monde, même sur un petit balcon, dans un patio ou sur un toit en terrasse, tous trois parfaits pour profiter de la vie au dehors. Sans pour autant les encombrer, ajoutez quelques pots, pour créer une ambiance particulière ou pour compléter d'autres éléments du décor. Si vous pouvez changer le sol, envisagez un patchwork rectiligne ou en vagues de pierres vieillies, de briques ou de dalles.

- Réfléchissez à l'emplacement du mobilier pour profiter au maximum de la lumière naturelle et de la vue du jardin. Un socle en pierre ou en brique, surmonté de lattes de bois peut servir de banc ou de table. Vous en adoucirez les surfaces avec des coussins en mousse.
- Les troncs d'arbre sciés font des meubles de jardin naturels et charmants. Un tronc de taille moyenne peut constituer le pied d'une table et un autre plus gros peut être façonné en fauteuil.

Changement de rythme

Le jardin favorise la détente en nous rappelant le rythme des saisons. Au jardin, les échéances artificielles et les dates butoirs que nous nous imposons perdent de leur importance devant le cycle inexorable de la nature. Les changements de saison nous permettent d'apprécier la diversité des ambiances du jardin et de jouir de la succession régulière des fleurs, des fruits et du feuillage. Ils nous suggèrent aussi de remplacer un nettoyage annuel effréné par une suite de tâches agréables et bien programmées.

Eau et soleil vous offriront un tableau toujours changeant de corolles et de feuillages. Au printemps, les crocus violets et jaunes pointent comme de petites épées, les jonquilles et les narcisses dansent dans la brise. L'été offre un grand choix de fleurs parfumées pour décorer la maison. À l'automne, les arbres fruitiers réclament toute votre attention, la cueillette devant être vite transformée en tartes et confitures. Les fruits abîmés seront ramassés avant de pourrir. Plantez des arbustes persistants pour le spectacle que donnent en hiver leurs baies rouges et leur feuillage luisant.

Promenade au jardin

Il est toujours possible de ménager différents pôles d'attraction dans le jardin, plates-bandes unicolores, massifs aux formes intéressantes, feuillages découpés ou arbustes touffus qui mettent en valeur les délicates plantes couvre-sol. Parcourir un jardin, même tout petit, est une expérience sensuelle, différente selon le moment de la journée et la saison, et une merveilleuse façon d'apaiser son esprit, en admirant la créativité de la nature.

Dans l'allée que nous parcourons, les graviers colorés qui crissent sous nos pas, les petits galets ronds évoquant l'océan, les briques posées en chevrons ou les souples écorces de pin concourent à créer l'ambiance du jardin. Pour parfumer votre promenade, plantez de chaque côté quelques herbes aromatiques qui supportent la sécheresse, comme le thym, la sauge, la bergamote ou la camomille.

Vous pouvez aussi choisir des plantes qui embaumeront l'air quand vous les froisserez au passage, vous incitant à faire une pause pour apprécier la sérénité du lieu. La lavande est un puissant relaxant et la riche senteur des roses évoque le luxe et la volupté.

107

Pour les quatre saisons

Le jardin ou la terrasse dallée sont trop souvent vides et nus en hiver, alors qu'en choisissant soigneusement vos plantes, vos pots et autres contenants, vous pourrez créer un spectacle permanent. Les pots permettent de transformer rapidement le jardin, même dans les petits espaces. Il suffit d'avancer les arbustes, par exemple, pour profiter de leur floraison, puis de les repousser à l'arrière-plan quand ils n'ont plus que leur feuillage à offrir. Les fleurs au parfum vespéral resteront dans un coin ombragé le jour, et viendront vous rejoindre le soir, pour vous enivrer de leurs senteurs.

• Mêlez fruits, légumes, fleurs et herbes pour que votre jardin soit aussi joli que parfumé. Au milieu des fleurs traditionnelles, vous pouvez glisser des choux d'ornement, de l'ail décoratif, des artichauts et des fraises retombantes qui tous poussent très bien en pot.

• Si une partie du jardin a défleuri, placez quelques plantes en pleine floraison parmi le feuillage, pour lui redonner des couleurs.

Scène champêtre

Comme dans la maison, les couleurs, les motifs et les formes permettent de créer à l'extérieur une ambiance apaisante. Quand vous organisez votre jardin, essayez de ménager des vues aussi plaisantes de loin que sous des angles divers. Faites des massifs à thème, unicolores ou dans une gamme de tons harmonieux, aux feuillages et aux textures variés ou avec une seule grande plante au centre d'un plan traditionnel. Le jardin d'herbes classique offre de ravissantes broderies avec ses petites haies de buis qui dessinent les lignes nettes des massifs géométriques. Les sculptures décoratives, de l'urne

à la statue grandeur nature, nourrissent l'imagination et donnent de l'intérêt au jardin en hiver. Le troène, l'if et le buis à pousse lente peuvent être taillés en topiaire pour ajouter un élément architectural.

• Patinez les statues trop neuves en les peignant avec du yaourt pour favoriser la pousse de lichen et de mousse.

• Créez un topiaire simple sur l'armature d'un grillage. Portez des gants épais pour mettre le grillage en forme, puis fixez-le dans un pot ou un massif et enroulez les pousses de la plante sur le bas du grillage. Taillez le feuillage quand il a recouvert toute la forme.

Détails du décor

Aménagez votre jardin comme s'il s'agissait d'une scène champêtre spontanée, avec toute sa diversité. Il est toujours possible, même dans un petit jardin, de constituer des milieux différents (ombre profonde ou partielle, sol sec, pierreux, humide ou argileux) qui peuvent être exploités pour accueillir une vaste variété de plantes. Les graminées soigneusement placées, les arbustes et les arbres dessineront des motifs d'ombre et de lumière. Renforcez l'illusion de paysage naturel en variant la hauteur des plantes, leurs formes, leurs textures et leurs couleurs.

Pour un effet vertical, étagez vos plantations, en accrochant sur un mur ou un treillage des pots garnis de plantes retombantes, comme les bégonias et les lobélies. Les pots et autres jardinières permettent aussi d'introduire des arbres et des plantes importantes dans un espace limité. Pour donner de la profondeur aux massifs, plantez les arbustes et les plantes de haute taille à l'arrière et les plantes basses devant. Garnissez la base de petites plantes colorées, impatiens ou primevères par exemple.

Plantes qui inspirent et apaisent

Par leur beauté et leur parfum, certaines plantes évoquent tout naturellement le calme et la sérénité, d'autant plus qu'elles se laissent admirer toute l'année. Les arbres et arbustes persistants aromatiques, par exemple, comme le pin, l'eucalyptus et le romarin sont un régal pour les sens en toutes saisons. Les plantes « écran » décoratives, comme le houblon doré ou la superbe vigne vierge, peuvent recouvrir rapidement des structures peu esthétiques ou trop imposantes, en créant une atmosphère d'intimité et de sécurité.

D'autres plantes produisent un effet plus puissant mais moins durable. Plantez dans votre jardin ces plantes fugaces que vous aimez pour leur couleur, leur forme et leur parfum, et mariez-les avec des plantations qui s'épanouissent toute l'année. Un massif unicolore, comme le blanc pur et paisible ou un camaïeu de bleus et de violets, peut être très relaxant, surtout si vous savez alterner les formes, épis élégants, corolles en trompette et fleurs en étoiles. Un jardin reposant possède aussi des plantes aux qualités tactiles, fougères plumeuses, hostas subtilement côtelés ou roses aux pétales soyeux.

• Plantez un écran de bambous et admirez les frissons de leurs feuilles légères qui se balancent dans la brise.

• Sous les arbres et les arbustes, plantez des perce-neige lumineux, du muguet, des violettes et des campanules, pour rehausser et parfumer les coins sombres ou dénudés du jardin en hiver et au début du printemps.

Paisibles retraites

Le jardin est l'endroit idéal où se détendre, dans une atmosphère de tranquille contemplation. Pour créer votre havre de paix, choisissez un emplacement paisible, un coin reculé de la pelouse, un kiosque ou une tonnelle construit spécialement, de préférence éloigné du bruit et de l'activité de la maison. Si cet emplacement présente quelques aspects inesthétiques, cachez-les avec de grands arbustes ou des plantes grimpantes, ou bien faites diversion avec un massif agréable de fleurs ou de feuillages, ou encore une jolie sculpture. Un siège confortable sera le bienvenu, que ce soit une assise permanente en pierre, un banc en bois garni de coussins ou un simple transat à l'ombre d'un arbre.

Dans votre retraite, vous sentez battre le pouls du jardin. Le doux bourdonnement des abeilles et le frémissement des papillons apaisent peu à peu votre esprit, et tous vos sens, en particulier l'odorat, s'éveillent. Installez votre refuge près d'un pin ou d'un cyprès balsamique, ou bien entourez-le de plantes parfumées, buissons de lavande, herbes aromatiques en pots ou cascades de roses.

Entre ombre et lumière

Un jardin ou un patio illuminé par le soleil du matin peut se trouver plongé dans l'ombre l'après-midi et vice-versa. Tirez parti des fluctuations de la lumière en utilisant habilement les plantes, le mobilier de jardin et la couleur. Un coin terne sera réveillé par un lavis pâle passé sur un mur ou une clôture (évitez cependant la peinture blanche unie, trop éblouissante). Un sol de gravier clair ou de galets et du feuillage vert vif transformeront un endroit sombre en une aimable retraite.

Les arbres et les grands arbustes, en pots ou grimpant sur un treillage, apportent une ombre bienvenue aux terrasses et aux jardins situés sur les toits exposés en plein soleil. Ces plantes devront être copieusement arrosées, surtout pendant les jours chauds de l'été.

• Un grand parasol en toile protégera du soleil un balcon ou un jardin situé sur un toit.

• Les hauts bambous ou les gynériums en pots peuvent être déplacés dans le jardin pour filtrer les rayons du soleil au moment désiré.

Treillages

Les plantes grimpantes s'élancent vers la lumière, s'étalant sur les murs et autres constructions avec une énergie toujours renouvelée. Vous pourrez les conduire sur un arceau en treillage ou une pergola, de façon qu'elles réalisent un espace intime ou une tonnelle paisible. Le choix des plantes joue un rôle important pour définir votre havre de paix, par la forme, la lumière et l'ombre, les motifs, la texture, la couleur et le parfum qui leur sont propres.

Un treillage festonné de feuilles et de fleurs modifiera la forme de votre jardin en lui ajoutant de la hauteur, en adoucissant les angles ou en cachant les surfaces peu esthétiques. Les feuilles de la vigne vierge et le lierre offrent une immense variété de formes, de motifs et de textures tout au long de l'année. Les grimpantes à fleurs ajoutent des taches de couleur vive. Choisissez le chèvrefeuille, les roses ou les clématites qui fleurissent longtemps. Les étoiles du jasmin ou les grappes dorées du cytise éclaireront votre retraite de leur lumière. Une structure en treillage couverte de plantes grimpantes fera un havre de paix parfait, imprégné du parfum du chèvrefeuille, des pois de senteur ou des roses.

Ambiance au jardin

Au cours de la journée se succèdent des instants magiques, qui ont le pouvoir de délasser l'esprit et de rafraîchir l'âme. Chacun possède son atmosphère propre, dont les couleurs et les sons rappellent des souvenirs paisibles et mettent en accord avec la nature. Quelques pas dans votre jardin ou une promenade dans un parc vous feront apprécier la plénitude de ces parenthèses enchantées.

L'aube est l'un de ces précieux moments plein d'espoir et de promesses. L'air est vif et doux, la rosée luit sur les feuilles encore enroulées, et des rayons de lumière caressent l'horizon. Les couleurs sont tout d'abord voilées, brumeuses, mais quand le soleil monte, le ciel déploie une palette rose, pêche et jaune, symphonie glorieuse et flamboyante. Quand la paix de la nuit fait place aux chants d'oiseaux, appréciez pleinement votre solitude. Asseyez-vous là, dans le jardin, et profitez au maximum de la lumière du matin, avec votre thé ou votre café, en lisant un journal ou en méditant. Jouissez de ce calme matinal que le tumulte de la journée fera bientôt disparaître.

123

Soleil bien-aimé

À la mi-journée, quand le soleil est au zénith, l'heure est au repos. Sous les climats chauds, les volets se ferment à midi, et la sieste est reine, à l'ombre d'un arbre, dans un hamac ou sur une chaise longue dans la maison. Les habitants des pays froids essayent, eux, de profiter des doux rayons du soleil.

Le temps semble suspendu. Un voile de chaleur donne une impression féerique, l'air est chargé des parfums des fleurs et des herbes, et l'immobilité n'est interrompue que par le bourdonnement des insectes. Le contraste entre l'ombre et la lumière est plus marqué et les couleurs plus intenses contre l'azur éclatant du ciel. Le poète Walt Whitman a su retrouver cette atmosphère de langueur sensuelle : « Donnez-moi la splendeur silencieuse du soleil et ses rayons étincelants. Donnez-moi un champ où pousse librement l'herbe folle, / Donnez-moi une tonnelle, donnez-moi le raisin sur la treille. »

• Accordez-vous une heure ou deux de détente, absorbé dans votre contemplation, avec un livre ou un bloc de papier à dessin et un crayon.

Au crépuscule

Le crépuscule, quand la lumière décline et que les étoiles du soir sortent de l'ombre, est un moment magique et paisible. Le jour s'assombrit peu à peu, transformant les objets familiers à mesure que l'or du ciel fait place au bleu profond qui apaise. Le crépuscule est la transition entre l'activité du jour et le calme de la nuit. Les sons se font plus distincts, feuilles froissées ou derniers cris d'oiseaux, et les fragrances sont plus intenses ; tabac blanc, lis, jasmin et autres fleurs parfumées embaument l'air du soir. Le blanc se détache sur les tons feutrés du crépuscule, plantes fleuries ou meubles de jardin, à l'intérieur et autour de votre havre vespéral. La chaleur sensuelle de l'été vous caresse ; appréciez la douceur de la fin du jour dans la compagnie de ceux que vous aimez.

• Faites fuir les insectes et parfumez votre kiosque, patio ou porche avec des bougies parfumées à la citronnelle.

• Quand la lumière diminue, placez des bougies de jardin devant un miroir, pour répondre au scintillement des étoiles.

Clair de lune mystérieux

Quand le rideau noir de la nuit s'étend sur le ciel, la palette colorée de la nature se réduit, se simplifie, et le jardin est transformé par la lumière argentée de la lune. Le silence est rompu de temps à autre par le bruit d'un animal nocturne en quête de pitance ou le hululement d'un hibou, mais la nuit est calme, l'esprit et le corps s'apaisent et se préparent au sommeil.

La lune elle-même peut être perçue comme une présence attentive, un élément mystérieux et magique dont le cycle influence, dit-on, les émotions humaines. Ses rayons forment un chemin scintillant sur l'étang et argentent l'écume des vagues. Recréez ces effets en posant une lampe de jardin près d'une pièce d'eau, une fontaine, un bassin. Essayez différents éclairages pour répondre à votre humeur : des faisceaux lumineux dirigés vers les branches d'un arbre lui donneront un aspect magique, presque irréel ; les lanternes japonaises aux vives couleurs créent une atmosphère de calme.

• Suspendez librement dans les arbustes des guirlandes électriques simples et élégantes ou disposez-les sur des supports existants.

Le royaume de la sérénité

Il n'est pas nécessaire, pour créer un environnement serein, d'envisager

un projet à grande échelle, qui serait d'ailleurs utopique dans un

appartement ou sur un lieu de travail. Cherchez plutôt les petits

raffinements qui définiront votre havre de paix personnel. L'eau peut

apporter la sérénité, de même qu'un chant d'oiseau, la contemplation

d'une fleur ou d'une photographie. Pour les uns, le tumulte des pensées

sera apaisé par la vue d'un objet ancien, pour les autres par la sobre

élégance d'un meuble contemporain. L'essentiel est de trouver

la clé qui vous ouvrira le royaume de la sérénité.

L'eau qui apaise

L'eau nous met en harmonie avec le monde naturel. Pour éprouver une sensation de paix, il suffit d'écouter le bruit de la pluie sur les feuilles, de contempler le miroir d'un étang ou de se sentir enveloppé par la caresse de l'eau en se laissant porter par les vagues ou en se prélassant dans sa baignoire. Au bureau ou en voyage, vaporisez de l'eau minérale sur votre visage, ou passez de l'eau de Cologne sur vos poignets. L'action revigorante de l'eau est avérée et certains mythes donnent aux rivières et aux lacs des pouvoirs magiques.

Tout jardin peut accueillir une pièce d'eau, de la piscine à l'étang jusqu'au simple bassin. Les cercles concentriques qui se forment quand le vent, un poisson ou une feuille qui tombe dérange la surface, hypnotisent et apaisent. Entourez votre jardin d'eau de hautes plantes aquatiques, iris et roseaux, pour l'isoler et lui donner couleur et vie.

• Les nénuphars demandent un bon ensoleillement, mais se contentent d'un petit espace. Les fleurs des espèces naines ne font que 5 cm.

L'eau vive

Le bruit et la vue de l'eau courante sont toujours rafraîchissants ; celle-ci apporte la vie, le mouvement, un babil apaisant. La vitalité des chutes et des fontaines, qu'elles soient artificielles ou naturelles, stimule l'esprit ; il suffit d'écouter et de regarder l'eau danser et jouer dans la lumière. Dans la piscine ou le bassin intérieur, faites arriver l'eau courante par un jet ou une cascade en rideau, et dans le jardin, par un simple ruissellement courant sur un lit de galets arrondis ou descendant de marches régulières en pierres taillées. Une cascade ou une fontaine aménagée dans une rocaille constitue une solution raffinée.

- Essayez les jeux d'eau japonais en bambou qui conduisent l'eau en suivant un petit circuit. Le bruit rythmé des tuyaux de bambou qui s'emplissent et se vident est extrêmement apaisant.
- Posez sur votre bureau un «créateur de vagues» , liquide épais et coloré enfermé dans une boîte en plastique transparent. Inclinez-le pour le mettre en action puis contemplez ses ondulations rythmées.

L'eau calme

De la mer en furie au lac tranquille, partout l'eau fait écho aux émotions humaines. Chez vous ou sur votre lieu de travail, elle vous aidera à vous concentrer et à apaiser votre mental. Contempler un aquarium, par exemple, peut effacer de votre esprit problèmes et soucis quotidiens. Vous pouvez créer un simple jeu d'eau en disposant des billes ou des galets colorés au fond d'un grand vase ou d'une coupe en verre emplie d'eau. Multipliez l'effet calmant en plaçant l'ensemble devant un miroir. Quand un souffle d'air passera sur l'eau, des ondulations se formeront. Soulignez-en le mouvement apaisant en posant des fleurs ou des bougies flottantes sur la surface. Choisissez la couleur des fleurs ou des bougies en harmonie avec votre humeur.

• Si vous n'avez pas de jardin, vous pouvez faire pousser dans l'eau des avocats, jacinthes et autres bulbes. Mettez-les dans des contenants en verre, la base du noyau ou du bulbe touchant à peine l'eau. En peu de temps, racines et pousses vertes apparaîtront.

• Décorez votre table avec des rince-doigts emplis d'eau parsemée de pétales de fleurs ou de fines rondelles de citron.

• Réalisez un joli jeu d'eau avec un flacon décoratif en verre rempli d'eau – que vous pouvez teinter de vert pâle ou de bleu –, à laquelle vous ajoutez du sable avant de fermer le tout hermétiquement. Quand vous serez stressé, secouez le flacon, et reposez-le devant vous. Regardez le sable se déposer lentement et retrouvez votre calme.

Son et mouvement

Même dans votre havre de paix, le silence ne suffit pas toujours à chasser votre stress. Pour vous relaxer plus profondément, concentrez-vous sur les bruits du monde naturel, souvent liés au mouvement : flux et reflux de la mer, chuchotement du vent dans un champ de blé, murmure de la pluie en été ou croassement des corneilles retournant au nid, le soir en hiver. Dans la maison, la paix et la sérénité de votre retraite peuvent venir d'un emprunt à la nature. Les cassettes de relaxation, souvent à base de sons calmes et rafraîchissants, et les carillons qui tintent au moindre souffle d'air lancent un pont enchanté entre votre intérieur et le monde extérieur.

- Créez vos propres carillons, avec des coquillages, par exemple, ou des morceaux de verre polis par la mer. Les bambous de différentes longueurs donnent aussi un joli son vibrant.
- Accrochez devant la fenêtre, pour les oiseaux, une boule contenant des noix et des graines et profitez du plumage de vos amis ailés.

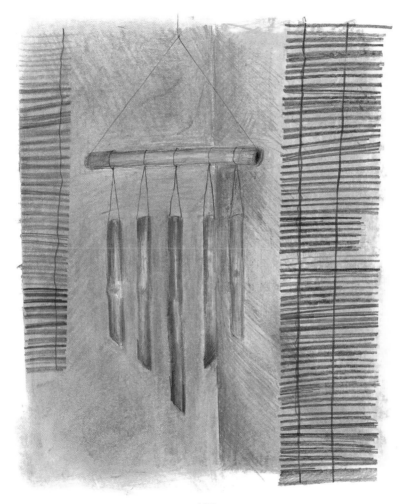

Rythmes du repos

Les balancements rythmés, la pulsation d'une musique, les accords répétitifs peuvent créer une atmosphère de relaxation sensuelle, quasi hypnotique. Le battement régulier du balancier d'une horloge favorise la concentration et les pensées calmes et contemplatives. Le rythme d'un poème est également très apaisant.

La répétition inlassable d'un son ou d'un mouvement, comme les battements du cœur ou les vagues sur le sable, procure un sentiment de sérénité et de sécurité. Les rythmes familiers réconfortent : ronronnement du chat sur vos genoux ou respiration profonde d'un dormeur génèrent une atmosphère de tranquillité où se dissolvent les soucis de la journée. Base des techniques de méditation, le rythme apaise le stress de l'esprit. Il est aussi soporifique, comme le sait d'instinct la mère qui berce son enfant.

• Fabriquez un mobile avec des matériaux naturels, pétales de fleurs, bouquets de feuilles ou de baies, capsules de graines, plumes, petites pommes de pin. Attachez tous ces éléments avec un fil sur une gracieuse

branche d'arbre ou un cintre que vous fixerez au-dessus du radiateur. L'air chaud, en montant, les fera tourner comme s'ils flottaient dans la brise.

• Si vous avez du mal à vous endormir, placez près de votre lit un réveil au doux tic-tac. Concentrez-vous sur votre rythme respiratoire et laissez-le se confondre harmonieusement avec le son du réveil.

Frémissement du feuillage

Le souffle du vent dans les arbres est l'un des bruits les plus évocateurs qui soient, doux frémissement de la brise estivale ou rugissement de la tempête d'automne qui vous fera d'autant mieux apprécier votre havre de paix. Même dans un petit jardin, chaque arbre possède sa voix propre, du frou-frou des feuilles du saule et du murmure du pin au soupir majestueux du grand chêne. De brusques souffles parcourent le feuillage des grimpantes, vigne vierge, lierre ou clématites, annonçant le déclin de l'été. Ces bruits apaisants peuvent trouver un écho dans la maison à travers divers objets et ouvrages au pouvoir évocateur.

• Composez des bouquets associant des branches feuillues à des fleurs fraîches, et faites-les sécher à l'automne. Les feuillages séchés offrent des touches de couleur à la mauvaise saison.

• Collez des feuilles et des graminées séchées sur l'extérieur d'un abat-jour uni, de couleur claire, et protégez-les avec une couche de vernis. Leurs formes se découperont sur les murs en ombres chinoises.

• Repassez les feuilles d'automne aux riches couleurs avant de les encadrer pour composer des petits tableaux.

• Servez-vous d'une feuille séchée et repassée comme pochoir et peignez une frise automnale sur vos fenêtres avec de la peinture soluble à l'eau.

Échos du temps passé

Les meubles et appareils d'autrefois sont sans doute dépassés sur le plan technique, mais leurs formes plaisantes, leur histoire et leur charme sont éternels. Ces objets à l'épreuve du temps apportent une continuité rassurante au plus moderne des décors contemporains.

Les meubles bien étudiés, une chaise solide par exemple, une table de salle à manger massive, un canapé confortable, ou de plus petits objets, comme des ustensiles de cuisine ou des outils de jardin, attrayants et fonctionnels, sont souvent copiés par les fabricants d'aujourd'hui. Il n'est pas indispensable qu'un objet soit ancien pour avoir du charme. Choisissez des classiques qui apporteront leur authenticité. Ils susciteront des réminiscences personnelles, comme le téléphone en Bakélite du bureau de votre grand-père ou le fauteuil en bois courbé de la chambre de votre mère, et combleront enfin votre désir longtemps réprimé de posséder un grille-pain chromé ou un ventilateur électrique.

Souvenirs

Tout foyer possède des témoignages du passé, récent ou plus ancien. Ces témoignages sont de toutes sortes, photographies, souvenirs, tasses et soucoupes rescapées du service à thé d'une grand-mère ou dessin d'enfant. Ces objets ont rarement une grande valeur marchande, mais ils sont sans prix et irremplaçables pour leur propriétaire.

Ces rappels du passé déclenchent souvent des moments de rêverie au sein desquels on peut puiser force et énergie. Les objets récoltés lors d'une promenade récente, feuilles, fleurs, marrons ou galets, vous rappelleront une journée heureuse. Une photographie prise pendant les vacances ou à l'occasion d'une fête de famille apaisera les esprits troublés en évoquant des moments agréables.

Le lien qui les relie au passé fait de ces objets des amis rassurants. Ils sauront personnaliser un bureau, ou bien, quand vous aurez trouvé leur place, faire un vrai foyer de votre nouvelle maison ou de votre appartement tout neuf. Ces photographies et ces précieux souvenirs groupés sur une étagère ou une table, peuvent aussi être le point de départ d'une collection.

Ornements d'époque

Un objet de famille hérité, un meuble ancien ou une porcelaine délicate reçue en cadeau ou dénichée chez un antiquaire aura un charme particulier, non seulement par sa beauté intrinsèque, mais aussi parce qu'il reflète une époque ou un style que vous aimez particulièrement. Une seule pièce peut constituer le point de départ d'une collection d'objets de la même époque, et elle pourra même inspirer le décor et l'ameublement d'une pièce, pour recréer l'atmosphère de l'époque en question. Votre maison possède peut-être une caractéristique – poutres apparentes, plafond à caissons, cheminée 1900 ou carrelage Art déco – qui vous incitera à poursuivre une collection sur le même thème. Un mélange d'objets d'époques différentes, dont la couleur et la forme, plus que le style, sont le point commun, peut aussi réaliser un décor agréable.

L'atmosphère créée par les objets anciens est toujours un peu nostalgique, impression nuancée par la chaleur et la douceur propres à l'âge. Ils sont souvent faits à la main, cousus, brodés, peints ou sculptés avec amour, soin et art.

• Placez un meuble ancien seul contre un fond uni. Laissez-le conduire votre imagination vers son époque et son caractère spécifiques.

• Pour vieillir de la dentelle ou du coton neuf, trempez-les dans du thé ou du café léger qui adoucira la blancheur des étoffes modernes.

Natures mortes

Avec un peu d'imagination, vous réaliserez des compositions qui contribueront à l'atmosphère d'ordre et de sérénité de chaque pièce. Objets en verre, fleurs, fruits ou coquillages, de simples objets quotidiens donnent souvent les natures mortes les plus réussies, dont l'impact résulte de la composition elle-même plus que de chaque élément. Composer des natures mortes est un art très personnel. Choisissez des couleurs et des formes qui se marient entre elles et avec l'espace environnant. De petits objets décoratifs harmonieusement regroupés seront plus esthétiques qu'alignés sur une étagère.

Les couleurs et les parfums des fleurs apportent une dimension nouvelle aux natures mortes. Dans l'art des bouquets japonais, ou *ikebana*, l'accent est mis sur la forme et l'équilibre de compositions apparemment très simples. Une seule branche fleurie sera placée dans un vase, accompagnée d'une seule feuille verte ou d'un morceau de bois noueux. La fleur elle-même sera légèrement de biais, parce qu'il est considéré comme « impoli » pour une fleur de fixer le spectateur dans les yeux...

Les bienfaits de la nature

Vous trouverez les éléments des plus jolies natures mortes dans les trésors offerts par la nature. En réalisant une composition de fruits et de fleurs, de noix et de graines, de morceaux d'écorce et de plumes luisantes, il est souvent tentant d'en rajouter. Or, l'excès en tout est un défaut. Un simple plat en terre cuite constituera un cadre harmonieux pour une poire unique, parfaite et délicate, quelques pommes brillantes ou une grappe de raisin noir à la peau veloutée et sensuelle. La beauté des produits de la nature mérite que l'on prête attention à chacun d'eux. Juxtaposez les courbes douces du fruit entier avec des morceaux d'écorce séchée, et faites contraster les coloquintes arrondies, d'une riche teinte orangée, avec les capsules pointues et piquantes, des graines du coquelicot ou du chardon.

Ces natures mortes peuvent correspondre à un thème saisonnier, en reflétant l'année qui passe à travers ses composants : fruits frais ou séchés, noix et pommes de pin, pétales et bulbes. Les pots-pourris associent formes et parfums, et les matériaux naturels, comme l'osier, le jute, le lin ou le coton complètent et encadrent la composition.

• Pour faire sécher des fleurs fraîches, accrochez-les en bouquet, tête en bas, dans une pièce sèche et bien aérée.

• Réalisez de jolies décorations avec des pommes. Retirez-en le cœur et coupez-les en rondelles que vous tremperez 10 minutes dans de l'eau salée. Enfilez-les sur un bâtonnet et laissez-les sécher deux ou trois jours.

Récolte sur la plage

Les décors les plus réussis ne s'achètent pas dans les magasins de décoration, mais sont faits de souvenirs intimes. Une collection réellement personnelle peut se composer de coquillages ramassés sur une plage déserte, de corail ou de fossiles trouvés lors de vacances en famille, et d'un morceau de bois flotté rejeté par la mer. Ces objets, dont l'importance ne doit rien à leur valeur commerciale, peuvent devenir le point de départ d'une rêverie délicieuse.

Pour mettre en valeur une nature morte marine, groupez ses éléments harmonieusement, en plaçant les plus grands dans le fond, les moyens au milieu et les petits au premier plan. Vous créerez ainsi un effet de profondeur et de perspective. Étudiez soigneusement les couleurs et les textures, les teintes sombres et fortes étant réservées à l'arrière-plan, les tons clairs occupant le devant. Pour ajouter à l'intérêt, juxtaposez les surfaces rugueuses et lisses, la dentelle du corail, par exemple, répondant à merveille aux rondeurs sensuelles d'un galet.

• Coquillages et galets perdent leur brillant en séchant. Mettez-les dans une coupe ou un vase en verre contenant de l'eau. Vous verrez leurs couleurs réapparaître, riches et vibrantes, et leurs motifs s'animer de nouveau.

• Au lieu de chercher la meilleure face d'un coquillage ou autre objet récolté, posez-le sur une étagère en verre ou devant un miroir : vous pourrez ainsi l'apprécier sous tous les angles.

• Pour raviver vos souvenirs, appliquez une conque contre votre oreille. Vous entendrez le bruit régulier des vagues frappant le sable.

• Coquillages ou bois flotté peuvent également servir à encadrer le miroir de votre salle de bains. Collez les coquillages directement sur le mur ou décorez-en un cadre sur lequel vous fixerez la glace.

Vivre en paix

La quiétude et la sécurité qu'offrent nos havres de paix personnels peuvent paraître bien éloignées des innombrables pressions de la vie quotidienne. Pourtant, ces paisibles retraites sont beaucoup plus qu'un lieu d'élection. Elles témoignent d'un état d'esprit, d'une force et d'un calme intérieurs où nous pouvons puiser à la demande. En apprenant à regarder un décor aimé, à retrouver le parfum d'une fleur, à se rappeler un moment heureux, nous saurons mieux évaluer et redresser les situations difficiles et stressantes. Tout véritable havre de paix se trouve au cœur de notre imagination, autant que dans notre maison et notre jardin, sanctuaire intime qui existe aussi longtemps que nous l'habitons.

Index

Remerciements

Les éditeurs remercient les photographes et organismes suivants pour avoir autorisé la reproduction des photographies de ce livre :

1 Robert Harding Syndication/Polly Wreford/*Homes and Gardens*/© IPC Magazines ; 9 Michael Freeman ; 10 Elizabeth Whiting & Associates/Jean-Paul Bonhommet ; 14 Robert Harding Syndication/Nadia MacKenzie/*Country Homes & Interiors*/© IPC Magazines ; 17 Elizabeth Whiting & Associates/Rodney Hyett ; 19 David Phelps ; 21 Arcaid/Alan Weintraub/avec l'accord de Molly et Donn Chappellet ; 23 Paul Ryan/*International Interiors*/Laura Bohn ; 27 David Phelps ; 35 Michael Freeman ; 37 Robert Harding Syndication/Paul Ryan/*Homes & Gardens*/©IPC Magazines : 39 Elizabeth Whiting & Associates/Mark Luscombe-Whyte/designer Christina Fallah ; 41 Elizabeth Whiting & Associates/Dennis Stone/designer Dave Bollon ; 43 The Interior Archive/Simon Upton ; 45 Elizabeth Whiting & Associates ; 47 Robert Harding Syndication/James Merrell/*Options*/© IPC Magazines ; 49 Jan Baldwin/Kate Otten, Johannesburg, Afrique du Sud ; 51 Christian Sarramon ; 53 Robert Harding Syndication/Fritz von der Schulenburg/*Country Homes & Interiors*/© IPC Magazines ; 57 Robert Harding Syndication/Tom Leighton/*Homes & Gardens*/© IPC Magazines ; 59 The Interior Archive/Fritz von der Schulenburg ; 61 Christian Sarramon ; 64 Jan Baldwin ; 65 Robert Harding Syndication/Andreas von Einsiedel/*Homes & Gardens*/© IPC Magazines ; 66 Christian Sarramon ; 71 Robert Harding Syndication/Tom Leighton/*Homes & Gardens*/© IPC Magazines ; 73 S & O Mathews ; 75 et 77 The Interior Archive/Fritz von der Schulenburg ; 85 Jan Baldwin ; 87 Elizabeth Whiting & Associates/Nadia McKenzie ; 91 Paul Ryan/*International Interiors*/Sasha Waddell ; 95 Jan Baldwin/Roger Oates, Herfordshire, Angleterre ; 98 Christian Sarramon ; 101 Paul Ryan/*International Interiors*/Marcel Wolterinck ; 105 Elizabeth Whiting & Associates/Neil Lorimer ; 109 Andrew Lawson/Gothic House, Oxfordshire ; 111 Jerry Harpur/designer Bruce Kelly, New York ; 113 Robert Harding Picture Library/Andreas von Einsiedel/*Country Homes & Interiors*/© IPC Magazines ; 115 Clive Nichols/designer Arabella Lennox-Boyd ; 117 Jerry Harpur/designer Kristen Fenderson, New Hampshire ; 119 Jerry Jarpur/Ingeborg Hecht, New York City ; 123 Jerry Harpur/« Dolwen », Llanrhaeadr-ym-Monchnant Powys, Pays de Galles ; 125 Jerry Harpur/designer Edwina von Gal ; 127 Jerry Harpur/designer Phillip Watson, Fredericksburg, Virginie ; 129 Jerry Harpur/designer Victor Nelson, New York City ; 130 Robert Harding Syndication/Bill Reavell/*Homes & Ideas*/© IPC Magazines ; 135 Michael Freeman ; 141 Elizabeth Whiting & Associates/Spike Powell ; 145 Arcaid/Simon Kenny/*Belle* ; 147 Jan Baldwin/Sid & Cathy Benson, Langebaan, Afrique du Sud ; 149 Elizabeth Whiting & Associates/Rodney Hyett ; 153 Elizabeth Whiting & Associates/Rodney Hyett ; 157 The Interior Archive/Andrew Wood